un-class..

Fairy Tales in

Span

D1240425

10 MINI DRAMAS
WITH A TWIST

Paula Camardella Twomey
Author

Jean MacLeod
Managing Editor

Jennifer Knutson
Graphic Designer

SKU: 1B3365
ISBN: 978-0-7560-1245-8
©2011 Teacher's Discovery, a division of American Eagle Co., Inc. www.teachersdiscovery.com

How to Use This Book
IN YOUR CLASSROOM

AS A CLASS READER
- Choose a fairy tale to read with your class.
- Review the vocabulary list with your students before reading.
- Assign parts to different class members.
- Read aloud for comprehension and new vocabulary.
- Encourage dramatic interpretation!
- Review vocabulary after reading aloud in class.

AS A MINI-DRAMA
- Choose a fairy tale to read and perform.
- Read through the story with your students to decode any difficult vocabulary.
- Select the required number of student actors, and ask students to practice reading the fairy tale with a partner.
- Design simple scenery and costumes, and collect *materiales necesarios* for the drama.
- Actors can read from their script, or use cue cards to read from a distance.
- The narrator can stand to the side of the "stage" for all narrations.
- Digitally record the mini drama and post it on YouTube or TeacherTube.

AS A PUPPET SHOW
- Choose a fairy tale to read and perform.
- Read through the story with your students to decode any difficult vocabulary.
- Choose student actors to read from behind a stage or puppet stand, and choose puppeteers to manipulate puppets, dolls or objects.
- Ask students to practice reading the fairy tale with a partner.
- Make sock puppets or collect stuffed animals, hand puppets or marionettes for the puppet theater.
- Actors and puppeteers must coordinate dialogue lines with puppet actions.
- The narrator can sit in front of the set, in a rocking chair (if available), as if to simulate the telling of a children's story.
- Digitally record the puppet show and post it to YouTube or TeacherTube.

PROPS & COSTUMES *(Materiales necesarios)*
- Keep a props/costume box in the classroom, and collect, reuse and interchange props for many of the fairy tales.

Note from the Author

Dear Teacher and Colleague,

Thank you for selecting *Un-Classic Fairy Tales in Spanish*. I hope you enjoy using it as much as I have enjoyed writing it. I guess you could say it has been a work in progress for the 31 years of my teaching career. I wanted to have my students perform dramatic presentations in the classroom to bring Spanish alive. They were so enthusiastic about writing and dramatizing *Fairy Tales* that we presented them to our Tots & Teens pre-K Program at Ithaca High School, and thus began a weekly visit to have teens teaching Spanish to our 3-5-year-old tots.

I developed *Un-Classic Fairy Tales in Spanish* for students and with students, and I feel it truly does reinforce oral skills and empowers them as they "act out" using a foreign language. I know that you, too, will find unique ways to enhance your teaching with *Un-Classic Fairy Tales in Spanish*.

¡Buena suerte!

Paula Camardella Twomey

Un-Classic Fairy Tales in Spanish is modeled on the National Standards for Languages Other Than English:

STANDARD 1.1:
Students engage in conversations, provide and obtain information, express feelings and emotions and exchange opinions.

STANDARD 1.2:
Students understand and interpret written and spoken language on a variety of topics.

STANDARD 1.3:
Students present information, concepts and ideas to an audience of listeners or readers on a variety of topics.

STANDARD 2.1:
Students demonstrate an understanding of the relationship between the practices and perspectives of the culture studied.

STANDARD 2.2:
Students demonstrate an understanding of the relationship between the products and perspectives of the culture studied.

STANDARD 5.1:
Students use the language both within and beyond the school setting.

STANDARD 5.2:
Students show evidence of becoming lifelong learners by using the language for personal enjoyment and enrichment.

Table of Contents

CHAPTER 1

Ricitos de Oro y los tres osos
Vocabulario útil

Antes de empezar...

Before you begin, review the following vocabulary words
that you will find in the text:

la osa	she bear	*frío/a*	cold
el oso	bear	*sentarse*	to sit down
el osito	little bear	*duro/a*	hard
simple	simple	*blando/a*	soft
confortable	comfortable	*sentirse cansado*	to feel tired
probar	to taste	*acostarse*	to go to bed
la leche	milk	*la cama*	bed
dar un paseo	to take a walk	*la silla*	chair
el bosque	forest	*roto/a*	broken
tocar a la puerta	to knock on the door	*despertarse*	to wake up
		los amigos	friends
la taza de leche	cup of milk	*los muebles*	furniture
grande	big	*comprar*	to buy
mediano/a	medium	*el palacio*	palace
pequeño/a	small	*vender*	to sell
caliente	hot		

Ricitos de Oro y los tres osos

Cinco personajes: el narrador, Ricitos de Oro, el padre oso, la madre osa y el osito.

Materiales necesarios: *three cups, three mats (for beds), three chairs*

NARRADOR: Señoras y señores, bienvenidos a nuestro teatro de cuentos de hadas. Hoy voy a contarles el cuento "Ricitos de Oro y los tres osos". En la familia de los tres osos, está el padre oso, la madre osa y el osito. El padre oso es grande, la madre osa es de tamaño mediano y el osito es pequeño. La casa de los tres osos es muy simple, pero confortable. Tiene una cocina, una sala y una alcoba. A las ocho de la mañana, la madre prepara el desayuno.

MADRE OSA: La leche está muy caliente. Vamos a dar un paseo por el bosque por un rato y cuando regresemos, podremos beberla.

NARRADOR: Y los tres osos salen. Una niña de seis años pasa por la casa. Llama a la puerta, pero nadie está en casa. Abre la puerta y entra en la casa. Mira la mesa y hay tres tazas de leche: una taza grande, una taza mediana y una taza pequeña. Prueba las tres tazas de leche.

RICITOS DE ORO: ¡Esta leche está demasiado caliente! ¡Esta leche está demasiado fría! ¡Esta leche está perfecta! (Y bebe toda la leche).

NARRADOR: Entonces Ricitos de Oro va a la sala y quiere sentarse. Mira las tres sillas y se sienta en ellas.

RICITOS DE ORO: ¡Esta silla es demasiado dura! ¡Esta silla es demasiada blanda! ¡Ah! ¡Esta silla es perfecta!

NARRADOR: Pero, de repente, la silla se rompe y Ricitos cae al suelo. Entonces Ricitos de Oro tiene sueño y decide buscar las alcobas. Entra en la alcoba y ve tres camas: una cama grande, una cama mediana y una cama pequeña. Ricitos de Oro se acuesta en la cama grande y exclama...

RICITOS DE ORO: ¡Qué cama más dura! ¡Qué cama más blanda! ¡Esta cama es perfecta!

NARRADOR: Y de repente, se duerme. Ahora los tres osos regresan a su casa. Abren la puerta, miran la mesa y el padre dice...

PADRE OSO: ¡Alguien bebió mi leche!

MADRE OSA: ¡Alguien bebió mi leche!

OSITO: ¡Alguien bebió mi leche y ahora no tengo leche!

NARRADOR: Los tres osos van a la sala y miran las sillas. El padre dice...

PADRE OSO: ¡Alguien se sentó en mi silla!

MADRE OSA: ¡Alguien se sentó en mi silla también!

OSITO: ¡Alguien se sentó en mi silla y la silla está rota!

NARRADOR: Entonces los tres osos van a la alcoba. El padre oso dice...

PADRE OSO: ¡Alguien durmió en mi cama!

MADRE OSA: ¡Alguien durmió en mi cama!

OSITO: ¡Alguien está en mi cama, dormida!

NARRADOR: Ricitos de Oro se despierta sorprendida.

RICITOS DE ORO: ¿Qué pasa? ¿Dónde estoy?

PADRE OSO: Estás en nuestra casa. Nosotros queremos vender nuestra casa. ¿Quieres comprar la casa? El precio es barato, sólo veinticinco mil euros.

RICITOS DE ORO: Me gusta la casa. Quiero comprarla.

OSITO: Fantástico. Yo quiero una casa con muebles nuevos.

RICITOS DE ORO: Muy bien.

NARRADOR: Y hasta el día de hoy, Ricitos de Oro vive en la casa de los tres osos. Y los tres osos viven en un palacio grande.

FIN

Ricitos de Oro y los tres osos

Actividad de crucigrama

DIRECTIONS:
Translate the following clues into Spanish and find the Spanish words in the crossword puzzle.

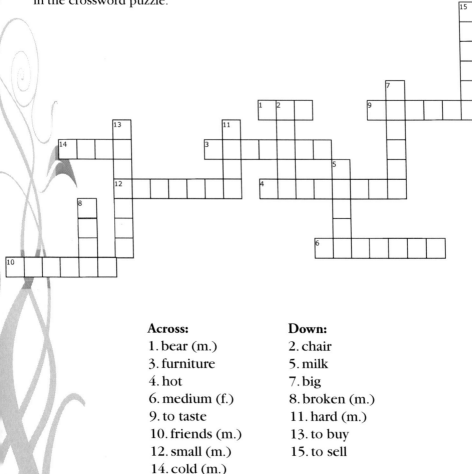

Across:
1. bear (m.)
3. furniture
4. hot
6. medium (f.)
9. to taste
10. friends (m.)
12. small (m.)
14. cold (m.)

Down:
2. chair
5. milk
7. big
8. broken (m.)
11. hard (m.)
13. to buy
15. to sell

Ricitos de Oro y los tres osos
Juego de Pictionario

DIRECTIONS:
Using the vocabulary words from the story, make a "Pictionary"-style game to play with your class. Use 3x5 cards to write a vocabulary word on each card. Divide the class into two teams and divide the cards into two equal piles.

A student from each team is given a card with the Spanish vocabulary word. The student must draw the picture on poster paper, blackboard, dry-erase board or smartboard for their teammates to decode. Each team gets a time limit of 45 seconds to guess the Spanish word being drawn. Students take turns drawing, and at the end of the game the team with the most points for identifying the pictures wins.

la osa	she bear	*frío/a*	cold
el oso	bear	*sentarse*	to sit down
el osito	little bear	*duro/a*	hard
simple	simple	*blando/a*	soft
confortable	comfortable	*sentirse cansado*	to feel tired
probar	to taste	*acostarse*	to go to bed
la leche	milk	*la cama*	bed
dar un paseo	to take a walk	*la silla*	chair
el bosque	forest	*roto/a*	broken
tocar a la puerta	to knock on the door	*despertarse*	to wake up
la taza de leche	cup of milk	*los amigos*	friends
grande	big	*los muebles*	furniture
mediano/a	medium	*comprar*	to buy
pequeño/a	small	*el palacio*	palace
caliente	hot	*vender*	to sell

CHAPTER 2

Caperucita Roja
Vocabulario útil

Antes de empezar...

Before you begin, review the following vocabulary words
that you will find in the text:

el bosque	forest	*correr*	to run
la niña	little girl	*tocar a la puerta*	to knock at the door
la capa roja	red cape	*las orejas*	ears
la abuelita	grandma	*los ojos*	eyes
estar enfermo/a	to be ill	*los dientes*	teeth
la cesta	basket	*saltar*	to jump
la leche	milk	*agarrar*	to grab
las galletas	cookies	*el leñador*	woodcutter
el pan	bread	*los ruidos*	noises
el lobo	wolf	*matar*	to kill
comprender	to understand	*el hacha*	ax
cantar	to sing	*atacar*	to attack
recoger flores	to pick flowers	*la rana*	frog
traer	to bring	*peligroso/a*	dangerous
asustado/a	frightened		
¡Ay de mí!	Poor me!		

Caperucita Roja

Seis personajes: el narrador, Caperucita Roja, la mamá, la abuelita, el lobo y el leñador.

Materiales necesarios: *red cape, basket, food cartons (bread, medicine, milk), granny cap, wolf tail, ears, mat for bed*

NARRADOR: Señoras y señores, bienvenidos a nuestro teatro de cuentos de hadas. Hoy voy a contarles el cuento "Caperucita Roja". En el bosque, vive una hermosa niña de siete años. Es una niña muy bonita, simpática, inteligente y sobretodo, obediente a su mamá. Se llama Caperucita Roja porque siempre lleva una capa roja muy bonita. Un día la mamá le dice...

MAMÁ: Caperucita Roja, tu abuelita está muy enferma. Necesita comida y medicinas. Por favor, ve a su casita y llévale esta cesta de leche, galletas, pan y medicinas. Pero, hija mía, ten cuidado con el lobo y no le hables.

CAPERUCITA ROJA: Sí, mamá. Comprendo. Adiós. Hasta luego.

NARRADOR: Mientras Caperucita Roja camina por el bosque, canta una canción, mira las flores y las recoge para la abuelita.

CAPERUCITA ROJA: La, la la la la la. ¡Qué lindas flores para la abuelita!

NARRADOR: Entonces el lobo aparece del otro lado del bosque.

LOBO: Buenos días, Caperucita Roja. ¿Qué haces aquí en el bosque y adónde vas con tu capa roja tan bonita?

CAPERUCITA ROJA: Le llevo comida y pan a mi abuelita, y quiero recoger flores para ella. Ella está muy enferma.

LOBO: ¡Qué lástima! Bueno, tengo que irme. Adiós, Caperucita Roja. ¡Ja, ja, ja, ja!

NARRADOR: Entonces el lobo corre rápidamente a la casa de la abuelita y toca a la puerta.

Pum, pum, pum.

ABUELITA: ¿Quién es?

LOBO: Soy Caperucita Roja, abuelita.

ABUELITA: Pasa, hija, pasa. ¡Un momento! ¡Tú no eres Caperucita Roja! ¡Tú eres el lobo! ¡Vete de mi casa!

LOBO: Es verdad. Soy el lobo. ¡Vete tú al baño, quítate el pijama y escóndete!

NARRADOR: La abuelita, asustada, va al baño a esconderse. El lobo se pone la camisa de la abuelita y se acuesta en la cama. En un minuto, alguien toca a la puerta.

Pum, pum, pum.

LOBO: ¿Quién es?

CAPERUCITA ROJA: Soy Caperucita Roja, abuelita.

LOBO: Pasa, hija, pasa. Ven aquí, cerca de la cama. ¿Qué me traes?

CAPERUCITA ROJA: Te traigo flores, pan, leche, galletas y medicinas.

LOBO: ¡Fantástico! Ven aquí, más cerca de la cama. Quiero verte mejor.

CAPERUCITA ROJA: Pero, abuelita, estás diferente. ¡Qué orejas tan grandes tienes!

LOBO: Para oírte mejor.

CAPERUCITA ROJA: Pero, abuelita, ¡qué ojos tan grandes tienes!

LOBO: Para verte mejor.

CAPERUCITA ROJA: Pero, abuelita, ¡qué dientes tan grandes tienes!

LOBO: Para comerte mejor. ¡Ja, ja, ja, ja!

CAPERUCITA ROJA: ¡Ay de mí! ¡Ay de mí!

NARRADOR: Y en ese momento, el lobo salta de la cama y trata de agarrar a Caperucita Roja. De repente, el leñador pasa por la casa de la abuelita.

LEÑADOR: ¡Qué ruidos tan extraños! ¿Qué pasa aquí?

CAPERUCITA ROJA: ¡Oh!, señor leñador. ¡Qué gusto de verlo! ¡El lobo está en la cama de la abuelita! ¿Dónde está la abuelita?

LEÑADOR: ¡El lobo! ¿Aquí en la casa? ¡Lobo, vete de aquí y no vuelvas más! ¡Y si vuelves, te voy a matar con el hacha!

NARRADOR: De repente, el lobo, muy asustado, salta de la cama. Cuando el leñador lo ataca, el lobo se transforma en una rana fea con cuatro ojos y seis pies. La abuelita sale del baño.

ABUELITA: ¡Qué rana fea! Gracias, señor leñador. ¡Ay, mi Caperucita Roja! ¿Estás bien?

CAPERUCITA ROJA: Sí, abuelita. Sí.

ABUELITA: En el futuro, no hables con el lobo. ¡Es peligroso!

CAPERUCITA ROJA: Sí, abuelita. Comprendo perfectamente.

NARRADOR: Y hasta el día de hoy, Caperucita Roja es muy obediente y no habla con personas desconocidas.

FIN

Caperucita Roja
Actividad de buscapalabras

DIRECTIONS:
Translate the following words from the fairy tale into Spanish. Then, find the Spanish words in the word search.

forest _____	red cap _____	to jump _____
grandma _____	basket _____	to grab _____
cookies _____	bread _____	ax _____
wolf _____	to understand _____	frog _____
to sing _____	to run _____	frightened (m.) _____
ears _____	eyes _____	to attack _____
teeth _____	milk _____	dangerous (m.) _____

```
o u p r a c a t a o a o
a r n e l e n a d o r r
c g a l l e t a s e e r
q o p t u i t g j h c r
a r s q l s g a o c a e
a l s e u a s r e e p r
i o u s t r s r o l a r
b b a c a n t a r s r o
a o r e d n e r p m o c
n h t s a r i i s o j o
a s e t l a t n d s a c
r d h a c h a r a e a o
```

Caperucita Roja
Actividad de palabras

DIRECTIONS:
Match the Spanish word with the best English translation. Write the LETTER of the correct English word in the blank space.

Español

	English
_____ 1. *pan*	A. woodcutter
_____ 2. *cantar*	B. teeth
_____ 3. *peligroso/a*	C. to jump
_____ 4. *dientes*	D. bread
_____ 5. *lobo*	E. to sing
_____ 6. *comprender*	F. to understand
_____ 7. *abuelita*	G. grandma
_____ 8. *leñador*	H. red cape
_____ 9. *saltar*	I. dangerous
_____ 10. *capa roja*	J. wolf

CHAPTER 3

Cenicienta
Vocabulario útil

Antes de empezar...

Before you begin, review the following vocabulary words
that you will find in the text:

la joven	young woman, girl	*el hada madrina*	fairy godmother
la madrastra	stepmother	*el collar de perlas*	pearl necklace
la hermanastra	stepsister	*la calabaza*	pumpkin
las tareas	chores	*los ratoncitos*	little mice
lavar	to wash	*la medianoche*	midnight
limpiar	to clean	*el mensajero*	messenger
antipático/a	disagreeable	*bailar*	to dance
feo/a	ugly	*bailar un vals*	to waltz
tener suerte	to be lucky	*admirar*	to admire
la invitación	invitation	*el zapato*	
el baile	ball	*de cristal*	glass shoe
el palacio	palace	*pequeño/a*	small
planchar	to iron	*caber*	to fit
el vestido	dress	*el anuncio*	announcement
esperar	to wait	*planear*	to plan
estar listo/a	to be ready	*el reino*	kingdom
los zapatos	shoes	*la boda*	wedding
las joyas	jewels	*casarse*	to marry
llorar	to cry		

Cenicienta

Siete personajes: Cenicienta, la madrastra, dos hermanastras, el hada madrina, el Príncipe y el mensajero.

Materiales necesarios: *magic wand, pumpkin, mice, glass shoe, coach*

NARRADOR: Señoras y señores, bienvenidos a nuestro teatro de cuentos de hadas. Hoy voy a contarles el cuento "Cenicienta". Cenicienta es una joven que vive con su papá, su madrastra y dos hermanastras. Ella hace todas las tareas de la casa: lavar la ropa, preparar la comida y limpiar. Ella es muy simpática, pero la madrastra es muy antipática y las hermanastras son feas. Un día la madrastra le dice...

MADRASTRA: ¡Qué suerte tenemos! ¡Hoy recibimos la invitación a un baile en el palacio! El Príncipe va a escoger esposa.

HERMANASTRA #1: Yo voy al baile.

HERMANASTRA #2: Yo voy al baile.

CENICIENTA: Yo voy también.

MADRASTRA: Puedes ir si terminas todo el trabajo de la casa. Hay mucho que hacer hoy. Lavar los platos, planchar la ropa y preparar la comida. Pero ¿tienes un vestido? ¡Creo que no! ¡Ja, ja, ja!

NARRADOR: Pobre Cenicienta, trabaja todo el día hasta la noche. La madrastra y sus hijas se preparan para el baile.

MADRASTRA: ¡Plánchame el vestido, boba!

HERMANASTRA #1: ¡Péiname el pelo con cintas, tonta!

HERMANASTRA #2: ¡Tráeme los zapatos, fea!

NARRADOR: Ya es la hora de salir para el baile. Cenicienta quiere ir también.

CENICIENTA: ¡Espérenme un momento!, por favor. Quiero ir al baile también.

MADRASTRA: No estás lista. No tienes un vestido bonito, no tienes zapatos nuevos y no tienes joyas. No puedes venir con nosotras. Adiós.

NARRADOR: ¡Pobre Cenicienta! Llora y llora. En ese momento, aparece su hada madrina.

HADA MADRINA: No te preocupes, Cenicienta. Puedes ir al baile. Primero necesitas un vestido. ¡Clic! Segundo necesitas zapatos nuevos. ¡Clic! Tercero necesitas un collar de perlas. ¡Clic! Ahora estás muy hermosa y puedes ir al baile.

CENICIENTA: Pero, hada madrina, ¿en qué voy?

HADA MADRINA: En un carruaje de princesa. Voy a usar esta calabaza, estos ratoncitos y… ¡Clic! Aquí está tu carruaje.

CENICIENTA: ¡Ay!, hada madrina. ¡Es fantástico! Voy al baile.

HADA MADRINA: Un momento, Cenicienta. Se me olvidó. Necesitas volver a casa antes de las doce de la noche, porque a la medianoche, todo va a desaparecer y volver a lo normal.

CENICIENTA: Sí, hada madrina. Está bien. Adiós y muchísimas gracias por todo.

NARRADOR: Cuando llega al baile, todas las personas admiran a la dama hermosa.

HERMANASTRA #1: ¿Quién es esa chica? ¡No la conozco!

HERMANASTRA #2: Es una chica desconocida.

MADRASTRA: No es bonita y su vestido es feo. ¡Uds. son mucho más bonitas!

PRÍNCIPE: Señorita, ¿puedo tener el honor de bailar este vals con Ud.?

CENICIENTA: Sí, Príncipe. Con mucho gusto.

NARRADOR: Cenicienta y el Príncipe bailan toda la noche. Todas las personas en el baile los admiran. Pero, de repente, suena el reloj.

Tan, tan, tan, tan... (Doce veces).

CENICIENTA: ¡Ay de mí! ¡Tengo que irme! ¡Tengo que irme! Son las doce. ¡Adiós!

PRÍNCIPE: ¡Por favor, espere! ¿Por qué se va? ¿Eh?, ¿qué es esto? Un zapato de cristal. Es de la dama bonita. Voy a encontrarla mañana.

NARRADOR: Cenicienta va a su casa. La próxima mañana, el Príncipe va a la casa de Cenicienta con su mensajero.

Pum, pum, pum.

MENSAJERO: Buscamos a la dama hermosa del zapato de cristal.

MADRASTRA: Pasen, pasen. Seguramente, es de una de mis hijas. ¡Pruébenselo!

HERMANASTRA #1: Es demasiado pequeño para mi pie.

HERMANASTRA #2: ¡Qué dolor! Mi pie no cabe en el zapato.

CENICIENTA: ¿Puedo probármelo, por favor?

MADRASTRA: ¡No seas ridícula, Cenicienta! El zapato de cristal no es tuyo.

PRÍNCIPE: Un momento, señora. Sí, señorita, Ud. puede probarse el zapato.

CENICIENTA: Gracias. Sí, Príncipe, mi pie cabe en el zapato.

MADRASTRA: ¡No puede ser!

HERMANASTRA #1: No es verdad.

HERMANASTRA #2: Es una mentira.

PRÍNCIPE: Sí, es verdad. Gracias a Dios. ¡Ud. va a ser mi esposa! Y Uds. tres, madrastra y hermanastras, ¡salgan de mi reino y nunca vuelvan! Vamos a poner un anuncio en Facebook que diga que ustedes son muy malas. No son nuestras amigas. Ahora, mi amor, vamos a planear nuestra boda. Vamos a casarnos y a poner la boda en YouTube.

NARRADOR: El Príncipe y Cenicienta se casan en una semana y viven muy felices.

FIN

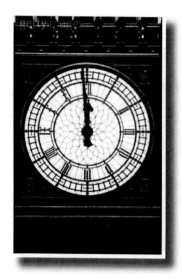

Cenicienta
Actividad de crucigrama

DIRECTIONS:
Translate the following clues into Spanish and find the Spanish words in the crossword puzzle.

Across:
2. ugly (f.)
3. prince
6. palace
7. ball (dance)
9. invitation
11. dress
13. waltz
15. chores
16. glass shoe (3 words)

Down:
1. stepmother
4. pearl necklace (3 words)
5. midnight
8. disagreeable (f.)
10. kingdom
12. shoes
14. jewels

Cenicienta
Juego de Charadas

DIRECTIONS:
Use the verbs from the vocabulary list below to play a game of "Charades" with your class. Use 3x5 cards to write a vocabulary verb on each card. Divide the class into two teams, and divide the cards into two equal piles.

A student from each team is given a card with the Spanish vocabulary word. The student must act out the verb for their teammates to decode. Each team gets a time limit of 30 seconds to guess the Spanish verb being acted. Students take turns acting, and at the end of the game the team with the most points for guessing the verb wins.

Verb list:

lavar	to wash
limpiar	to clean
tener suerte	to be lucky
planchar	to iron
estar listo	to be ready
esperar	to wait
llorar	to cry
bailar	to dance
bailar un vals	to waltz
casarse	to marry
caber	to fit
admirar	to admire
planear	to plan

La gallinita roja
Vocabulario útil

Antes de empezar...

Before you begin, review the following vocabulary words that you will find in the text:

la gallinita roja	little red hen	*la masa*	dough
el cerdo	pig	*el pan*	bread
el gato	cat	*comer*	to eat
el pato	duck	*poner*	to put
perezoso/a	lazy	*el horno*	oven
el jardín	garden	*Yo creo que no.*	I don't think so.
trabajar	to work		
ayudar	to help	*la comida*	meal
el trigo	wheat	*la cena*	dinner
cortar	to cut	*elegante*	elegant
la harina	flour	*tener hambre*	to be hungry

CHAPTER 4

La gallinita roja

Cinco personajes: el narrador, la gallinita roja, el cerdo, el gato y el pato.

Materiales necesarios: *pig nose, ears, cat tail, ears, duck beak, wheat stalks, flour, bread*

NARRADOR: Señoras y señores, bienvenidos a nuestro teatro de cuentos de hadas. Hoy voy a contarles el cuento "La gallinita roja". La gallinita roja vive en una casa grande con un cerdo, un gato y un pato. El cerdo, el gato y el pato son muy perezosos. Por lo tanto, la gallinita hace todo el trabajo en la casa. Un día la gallinita está trabajando en su jardín y dice...

GALLINITA ROJA: ¿Quién va a ayudarme a plantar el trigo?

CERDO: Yo no puedo ayudar.

GATO: Yo no puedo ayudar.

PATO: Yo no puedo ayudar.

GALLINITA ROJA: Bueno, ¡entonces voy a hacerlo yo misma!

NARRADOR: El trigo crece mucho y la gallinita roja dice...

GALLINITA ROJA: ¿Quién va a ayudarme a cortar el trigo?

CERDO: Yo no puedo ayudar.

GATO: Yo no puedo ayudar.

PATO: Yo no puedo ayudar.

GALLINITA ROJA: Bueno, ¡entonces voy a hacerlo yo misma!

NARRADOR: La gallinita roja necesita hacer harina de trigo y dice...

GALLINITA ROJA: ¿Quién va a ayudarme a hacer harina de trigo?

CERDO: Yo no puedo ayudar.

GATO: Yo no puedo ayudar.

PATO: Yo no puedo ayudar.

GALLINITA ROJA: Bueno, ¡entonces voy a hacerla yo misma!

NARRADOR: La gallinita roja necesita hacer la masa para el pan y dice...

GALLINITA ROJA: ¿Quién va a ayudarme a hacer la masa para el pan?

CERDO: Yo no puedo ayudar.

GATO: Yo no puedo ayudar.

PATO: Yo no puedo ayudar.

GALLINITA ROJA: Bueno, ¡entonces voy a hacerla yo misma!

NARRADOR: Ahora la gallinita roja hace la masa y la pone en el horno para cocinarla.

CERDO, PATO Y GATO: ¡Ah! ¡¡Qué bien huele el pan!!

GALLINITA ROJA: ¿Quién va a ayudarme a comer este pan delicioso?

CERDO: Yo, sí, me lo como.

GATO: Yo, sí, me lo como.

PATO: Yo, sí, me lo como.

GALLINITA ROJA: ¡Yo creo que no! Yo hago todo el trabajo en la casa y me voy a comer todo el pan yo sola. Después voy a ir a un restaurante elegante para comer una comida fantástica. (Y efectivamente, fue a Spago en Los Ángeles y comió una comida fantástica).

NARRADOR: La gallinita roja comió todo el pan y fue al restaurante para cenar. Pero el cerdo, el gato y el pato tienen mucha hambre.

FIN

La gallinita roja
Actividad de vocabulario

DIRECTIONS:
Below, you will find the text of the fairy tale you have just read. Fill in each blank space with the correct Spanish word. Search the mini-drama and the vocabulary list for the appropriate answers.

NARRADOR: Señoras y señores, bienvenidos a nuestro teatro de cuentos de hadas. Hoy voy a contarles el cuento "La gallinita roja". La gallinita roja vive en una 1._____ (*large house*) con un 2._____ (*pig*), un 3._____ (*cat*) y un 4._____ (*duck*). El cerdo, el gato y el pato son muy perezosos. Por lo tanto, la gallinita hace todo el trabajo en la casa. Un día la 5._____ (*little hen*) está trabajando en su jardín y dice...

GALLINITA ROJA: ¿Quién va a ayudarme a 6._____ (*to plant*) el trigo?

CERDO: Yo no puedo 7._____ (*to help*).

GATO: Yo no puedo ayudar.

PATO: Yo no puedo ayudar.

GALLINITA ROJA: Bueno, ¡entonces voy a hacerlo yo misma!

NARRADOR: El trigo crece mucho y la gallinita roja dice...

GALLINITA ROJA: ¿Quién va a ayudarme a 8._____ (*to cut*) el trigo?

CERDO: Yo no puedo ayudar.

GATO: Yo no puedo 9._____ (*to help*).

PATO: Yo no puedo ayudar.

GALLINITA ROJA: Bueno, ¡entonces voy a hacerlo yo misma!

NARRADOR: La gallinita roja necesita hacer harina de trigo y dice...

GALLINITA ROJA: ¿Quién va a ayudarme a hacer 10. _____ (*flour*) de trigo?

CERDO: Yo no puedo 11. _____ (*to help*).

GATO: Yo no puedo ayudar.

PATO: Yo no puedo ayudar.

GALLINITA ROJA: Bueno, ¡entonces voy a hacerla yo misma!

NARRADOR: La gallinita roja necesita hacer la masa para el 12. _____ (*bread*) y dice...

GALLINITA ROJA: ¿Quién va a ayudarme a hacer la masa para el pan?

CERDO: Yo no puedo ayudar.

GATO: Yo no puedo ayudar.

PATO: Yo no puedo ayudar.

GALLINITA ROJA: Bueno, ¡entonces voy a hacerla yo misma!

NARRADOR: Ahora la gallinita roja hace la masa y la pone en el 13. _____ (*oven*) para cocinarla.

CERDO, PATO Y GATO: ¡Ah! ¡¡Qué bien huele el pan!!

GALLINITA ROJA: ¿Quién va a ayudarme a 14. _____ (*to eat*) este pan delicioso?

CERDO: Yo, sí, me lo como.

GATO: Yo, sí, me lo como.

PATO: Yo, sí, me lo como.

GALLINITA ROJA: ¡Yo creo que no! Yo hago todo el trabajo en la casa y me voy a comer todo el pan yo sola. Despúes voy a ir a un 15._____ (*restaurant*) elegante para comer una comida fantástica. (Y efectivamente, fue a Spago en Los Ángeles y comió una comida fantástica).

NARRADOR: La gallinita roja comió todo el pan y fue al restaurante para cenar. Pero el cerdo, el gato y el pato tienen mucha hambre.

FIN

La gallinita roja
Actividad para hacer oraciones

DIRECTIONS:

Below you will find three groups of vocabulary words from the story. Use the nouns, verbs and adjectives to build sentences in Spanish about the story's plot.

NOUNS	VERBS	ADJECTIVES
gallinita	trabajar	perezoso/a
cerdo	ayudar	trabajador(a)
gato	cortar	rojo/a
trigo	comer	delicioso/a
pato	tener hambre	elegante
pan	poner	fantástico/a
masa	plantar	
horno	cocinar	
jardín	cenar	
restaurante		
comida		

CHAPTER 5

La tortilla corredora
Vocabulario útil

Antes de empezar...

Before you begin, review the following vocabulary words
that you will find in the text:

la tortilla corredora	the runaway tortilla
la viejecita	little old woman
el viejecito	little old man
la estufa	stove
creer	to think, to believe
comer	to eat
quitar	to take off, to remove
saltar	to jump
la sartén	frying pan
gritar	to shout
correr	to run
rápidamente	quickly
escapar	to escape
el jardín	garden
pasar	to pass by
la vaca	cow
el campesino	farmer
la zorra	fox
cruzar	to cross
el río	river
el rabo	tail
mojarse	to get wet
el agua	water
alto/a	high
la espalda	back
la cabeza	head

La tortilla corredora

Ocho personajes: el narrador,
la viejecita, el viejecito, tres
campesinos, la vaca y la zorra.

Materiales necesarios: *round
tortilla, gray granny wig,
blue sheet for water (river),
frying pan, silk flowers, cow
tail, fox tail, ears*

NARRADOR: Señoras y señores,
bienvenidos a nuestro teatro
de cuentos de hadas. Hoy voy a contarles el cuento "La tortilla corredora".
Hay una viejecita y un viejecito que viven en una casa simple en el campo.
Un día la viejecita decide hacer una tortilla para la familia. La prepara en la
estufa.

VIEJECITA: ¡Ah!, huele bien. Creo que la tortilla está lista para comer.

NARRADOR: Cuando la viejecita quita la tortilla de la estufa, la tortilla salta de
la sartén y grita...

TORTILLA: ¡Corre, corre rápidamente, pero no me vas a comer!

VIEJECITA: ¡Alto! ¡No corras tan de prisa! ¡Sí que te voy a comer!

NARRADOR: Pero la viejecita no puede correr rápidamente y la tortilla
escapa. Entonces la tortilla pasa por donde está el viejecito trabajando en
su jardín.

TORTILLA: ¡Corre, corre rápidamente, pero no me vas a comer! Puedo
escapar de la viejecita y puedo escapar de ti.

VIEJECITO: ¡Alto! ¡No corras tan de prisa! ¡Sí que te voy a comer!

NARRADOR: Pero el viejecito no puede correr rápidamente y la tortilla escapa. Entonces la tortilla pasa por donde están unos campesinos trabajando en el campo.

TORTILLA: ¡Corran, corran rápidamente, pero no me van a comer! Puedo escapar de la viejecita, puedo escapar del viejecito y puedo escapar de Uds.

CAMPESINOS: ¡Alto! ¡No corras tan de prisa! ¡Sí que te vamos a comer!

NARRADOR: Pero los campesinos no pueden correr rápidamente y la tortilla escapa. Entonces la tortilla pasa por donde está una vaca en el prado.

TORTILLA: ¡Corre, corre rápidamente, pero no me vas a comer! Puedo escapar de la viejecita, puedo escapar del viejecito, puedo escapar de los campesinos y puedo escapar de ti.

VACA: ¡Alto! ¡No corras tan de prisa! ¡Sí que te voy a comer!

NARRADOR: Pero la vaca no puede correr rápidamente y la tortilla escapa. Entonces la tortilla pasa cerca de una zorra que está descansando cerca del río.

TORTILLA: ¡Corre, corre rápidamente, pero no me vas a comer! Puedo escapar de la viejecita, puedo escapar del viejecito, puedo escapar de los campesinos, puedo escapar de la vaca y puedo escapar de ti.

ZORRA: ¡Ja, ja, ja! Tortilla corredora, necesitas cruzar el río para escapar de esta gente. Salta a mi rabo y yo te cruzo al otro lado del río.

TORTILLA: Muchas gracias, señora zorra. Voy a cruzar contigo.

ZORRA: ¡Ay de mí!, tortilla corredora, el río está alto. Salta a mi espalda si no quieres mojarte.

TORTILLA: Muy bien, señora zorra.

ZORRA: ¡Ay de mí!, tortilla corredora, el río está más alto. Salta a mi cabeza si no quieres mojarte.

TORTILLA: Muy bien, señora zorra.

ZORRA: ¡Ay de mí!, tortilla corredora, el río está altísimo. Salta a mi nariz si no quieres mojarte.

TORTILLA: Muy bien, señora zorra.

ZORRA: ¡Ja, ja, ja! Ahora no puedes escapar, tortilla corredora. ¡Sí que te voy a comer!

NARRADOR: Pero, en ese momento, la tortilla saca su iPhone, llama a la policía y salta de la nariz de la zorra. Llega la policía, captura a la zorra mala y la lleva a la cárcel. Y la feliz tortilla corredora se ríe y se ríe a carcajadas.

FIN

La tortilla corredora
Actividad de sinónimos

DIRECTIONS:
Below, you will find the text of the fairy tale you have just read. Replace the word in parentheses with a Spanish synonym from the vocabulary list.

NARRADOR: Señoras y señores, bienvenidos a nuestro teatro de cuentos de hadas. Hoy voy a contarles el cuento "La tortilla corredora". Hay una

1. _____ (pequeña mujer de muchos años de edad) y un

2. _____ (pequeño hombre de muchos años de edad) que viven

en una 3. _____ (hogar) simple en el campo. Un día la viejecita decide hacer una tortilla para la familia. La prepara en la estufa.

VIEJECITA: ¡Ah!, huele bien. 4. _____ (Pienso) que la tortilla está lista para comer.

NARRADOR: Cuando la viejecita 5. _____ (saca) la tortilla de la estufa, la tortilla salta de la sartén y grita...

TORTILLA: ¡Corre, corre 6. _____ (de prisa), pero no me vas a comer!

VIEJECITA: ¡Alto! ¡No corras tan de prisa! ¡Sí que te voy a comer!

NARRADOR: Pero la 7. _____ (pequeña mujer de muchos años de edad) no puede correr rápidamente y la tortilla escapa. Entonces la tortilla pasa por donde está el 8. _____ (pequeño hombre de muchos años de edad) trabajando en su 9. _____ (lugar donde hay plantas y flores).

TORTILLA: ¡Corre, corre rápidamente, pero no me vas a comer! Puedo escapar de la viejecita y puedo escapar de ti.

VIEJECITO: ¡Alto! ¡No corras tan de prisa! ¡Sí que te voy a comer!

NARRADOR: Pero el viejecito no puede correr rápidamente y la tortilla escapa. Entonces la tortilla pasa por donde están unos 10. _____ (personas que trabajan en el campo) trabajando en el campo.

TORTILLA: ¡Corran, corran rápidamente, pero no me van a comer! Puedo escapar de la viejecita, puedo escapar del viejecito y puedo escapar de Uds.

CAMPESINOS: ¡Alto! ¡No corras tan de prisa! ¡Sí que te vamos a comer!

NARRADOR: Pero los campesinos no pueden correr rápidamente y la tortilla escapa. Entonces la tortilla pasa por donde está una 11. _____ (animal que da leche) en el prado.

TORTILLA: ¡Corre, corre rápidamente, pero no me vas a comer! Puedo escapar de la 12. _____ (pequeña mujer de muchos años de edad), puedo escapar del 13. _____ (pequeño hombre de muchos años de edad), puedo escapar de los campesinos y puedo escapar de ti.

VACA: ¡Alto! ¡No corras tan de prisa! ¡Sí que te voy a comer!

NARRADOR: Pero la vaca no puede correr rápidamente y la tortilla escapa. Entonces la tortilla pasa cerca de una zorra que está descansando cerca del 14. _____ (corriente de agua).

TORTILLA: ¡Corre, corre rápidamente, pero no me vas a comer! Puedo escapar de la viejecita, puedo escapar del viejecito, puedo escapar de los campesinos, puedo escapar de la vaca y puedo escapar de ti.

ZORRA: ¡Ja, ja, ja! Tortilla corredora, necesitas cruzar el río para escapar de esta gente. Salta a mi 15. _____ (cola) y yo te cruzo al otro lado del río.

TORTILLA: Muchas gracias, señora zorra. Voy a cruzar contigo.

ZORRA: ¡Ay de mí!, tortilla corredora, el río está muy alto. Salta a mi espalda si no quieres mojarte.

TORTILLA: Muy bien, señora zorra.

ZORRA: ¡Ay de mí!, tortilla corredora, el río está más alto. Salta a mi 16._____ (parte del cuerpo con ojos, nariz y boca) si no quieres mojarte.

TORTILLA: Muy bien, señora zorra.

ZORRA: ¡Ay de mí!, tortilla corredora, el río está altísimo. Salta a mi nariz si no quieres mojarte.

TORTILLA: Muy bien, señora zorra.

ZORRO: ¡Ja, ja, ja! Ahora no puedes escapar, tortilla corredora. ¡Sí que te voy a comer!

NARRADOR: Pero, en ese momento, la tortilla saca su iPhone, llama a la policía y salta de la nariz de la zorra. Llega la policía, captura a la zorra mala y la lleva a la 17._____ (prisión). Y la feliz tortilla corredora se ríe y se ríe a carcajadas.

FIN

La tortilla corredora
Juego de Pictionario

DIRECTIONS:

Using the vocabulary words from the story, make a "Pictionary"-style game to play with your class. Use 3x5 cards to write a vocabulary word on each card. Divide the class into two teams and divide the cards into two equal piles.

A student from each team is given a card with the Spanish vocabulary word. The student must draw the picture on poster paper, blackboard, dry-erase board or smartboard for their teammates to decode. Each team gets a time limit of 45 seconds to guess the Spanish word being drawn. Students take turns drawing, and at the end of the game the team with the most points for identifying the pictures wins.

la tortilla corredora	the runaway tortilla	*el rabo*	tail
la viejecita	little old woman	*mojarse*	to get wet
el viejecito	little old man	*el agua*	water
la estufa	stove	*alto/a*	high
creer	to think, to believe	*la espalda*	back
comer	to eat	*la cabeza*	head
quitar	to take off, to remove		
saltar	to jump		
la sartén	frying pan		
gritar	to shout		
correr	to run		
rápidamente	quickly		
escapar	to escape		
el jardín	garden		
pasar	to pass by		
la vaca	cow		
el campesino	farmer		
la zorra	fox		
cruzar	to cross		
el río	river		

CHAPTER 6

Los tres cabritos Gruff
Vocabulario útil

Antes de empezar...

Before you begin, review the following vocabulary words that you will find in the text:

los cabritos	small goats	*esperar*	to wait
el gnomo	gnome	*comer*	to eat
el campo	countryside	*jovencito/a*	very young
cruzar	to cross	*mediano/a*	medium
el río	river	*verde*	green
dulce	sweet	*enorme*	enormous
la hierba	grass		
el gnomo malvado	evil gnome		
el puente	bridge		
hacer ruido	to make noise		
el hermano	brother		
el más grande	the biggest		
subir	to climb		
empujar	to push		
caer	to fall		
el pez	fish		
los pescadores	fishermen		
coger	to grab		

Los tres cabritos Gruff

Cinco personajes: el narrador, tres cabritos y el gnomo.

Materiales necesarios: *brown blanket for bridge, three sets of goat ears, tails, jacket for the troll*

NARRADOR: Señoras y señores, bienvenidos a nuestro teatro de cuentos de hadas. Hoy voy a contarles el cuento "Los tres cabritos Gruff". Los tres cabritos viven en el campo. Todos los días necesitan cruzar el río para comer hierba verde y dulce. Pero necesitan cruzar el puente y el gnomo malvado vive debajo del puente. Los cabritos hacen mucho ruido al cruzar el puente.

Pum, pum, pum, pum.

GNOMO: ¿Quiénes hacen ese ruido al cruzar mi puente?

CABRITO #1: Soy yo, señor GNOMO, el cabrito más jovencito.

GNOMO: Voy a subir y voy a comerte ahora mismo.

CABRITO #1: No me coma, señor GNOMO. Mi hermano me sigue y él es mucho más grande que yo.

GNOMO: Muy bien. De acuerdo. Voy a esperar.

Pum, pum, pum, pum.

NARRADOR: Los cabritos hacen mucho ruido al cruzar el puente.

GNOMO: ¿Quiénes hacen ese ruido al cruzar mi puente?

CABRITO #2: Soy yo, señor GNOMO, el cabrito mediano.

GNOMO: Voy a subir y voy a comerte ahora mismo.

CABRITO #2: No me coma, señor GNOMO. Mi hermano me sigue y él es mucho más grande que yo.

GNOMO: Muy bien. De acuerdo. Voy a esperar.

Pum, pum, pum, pum.

NARRADOR: Los cabritos hacen mucho ruido al cruzar el puente.

GNOMO: ¿Quiénes hacen tanto ruido al cruzar mi puente?

CABRITO #3: Soy yo, señor GNOMO, el cabrito más grande de todos.

GNOMO: Voy a subir y voy a comerte ahora mismo.

NARRADOR: El GNOMO sube al puente y trata de comer al cabrito más grande, pero, en ese momento, el cabrito lo empuja al GNOMO al río.

CABRITO #3: Señor GNOMO, yo soy el cabrito más grande y no puedes comerme a mí o a mis dos hermanitos.

GNOMO: ¡Ay de mí! ¡Ay de mí! ¡Me caigo al agua!

NARRADOR: Y al caerse en el agua, el gnomo se transforma en un pez enorme. Unos pescadores lo cogen y lo comen para la cena. Y los tres cabritos cruzan el río por el puente todos los días y comen muchísima hierba dulce.

FIN

Los tres cabritos Gruff
'Mad Libs' *en español*

DIRECTIONS:
Rewrite the story, using a Mad Lib format in Spanish. Below, you will find underlined words in the text. Work with your classmates to revise this fairy tale into an original and amusing story by substituting new Spanish words in place of the underlined words. Consult a Spanish-English dictionary for vocabulary that you do not know.

NARRADOR: Señoras y señores, bienvenidos a nuestro teatro de cuentos de hadas Hoy voy a contarles el cuento "Los tres <u>cabritos</u> Gruff". Los tres cabritos viven en el campo. Todos los días necesitan cruzar el <u>río</u> para comer <u>hierba verde</u> y dulce. Pero necesitan cruzar el <u>puente</u> y el <u>gnomo</u> malvado vive debajo del puente. Los cabritos hacen mucho ruido al cruzar el <u>puente</u>.

Pum, pum, pum, pum.

GNOMO: ¿Quiénes hacen ese ruido al cruzar mi <u>puente</u>?

CABRITO #1: Soy yo, señor <u>GNOMO</u>, el <u>cabrito</u> más jovencito.

GNOMO: Voy a subir y voy a comerte ahora mismo.

CABRITO #1: No me coma, señor <u>GNOMO</u>. Mi <u>hermano</u> me sigue y él es mucho más grande que yo.

GNOMO: Muy bien. De acuerdo. Voy a esperar.

Pum, pum, pum, pum.

NARRADOR: Los cabritos hacen mucho ruido al cruzar el <u>puente</u>.

GNOMO: ¿Quiénes hacen ese ruido al cruzar mi <u>puente</u>?

CABRITO #2: Soy yo, señor <u>GNOMO</u>, el <u>cabrito</u> mediano.

GNOMO: Voy a subir y voy a comerte ahora mismo.

CABRITO #2: No me coma, señor GNOMO. Mi <u>hermano</u> me sigue y él es mucho más <u>grande</u> que yo.

GNOMO: Muy bien. De acuerdo. Voy a esperar.

Pum, pum, pum, pum.

NARRADOR: Los cabritos hacen mucho ruido al cruzar el <u>puente</u>.

GNOMO: ¿Quiénes hacen tanto ruido al cruzar mi <u>puente</u>?

CABRITO #3: Soy yo, señor GNOMO, el cabrito más grande de todos.

GNOMO: Voy a subir y voy a comerte ahora mismo.

NARRADOR: El <u>GNOMO</u> sube al puente y trata de comer al <u>cabrito</u> más grande, pero, en ese momento, el <u>cabrito</u> lo empuja al <u>GNOMO</u> al <u>río</u>.

CABRITO #3: Señor <u>GNOMO</u>, yo soy el <u>cabrito</u> más <u>grande</u> y no puedes comerme a mí o a mis dos hermanitos.

GNOMO: ¡Ay de mí! ¡Ay de mí! <u>¡Me caigo al agua!</u>

NARRADOR: Y al caerse en el agua, el gnomo se transforma en un <u>pez enorme</u>. Unos <u>pescadores</u> lo cogen y lo comen para la cena. Y los tres cabritos cruzan el río por el puente todos los días y comen muchísima hierba dulce.

FIN

Los tres cabritos Gruff
Actividad para hacer oraciones

DIRECTIONS:

Below, you will find three groups of vocabulary words from the story. Use these nouns, verbs and adjectives to build sentences in Spanish about the story's plot.

NOUNS	VERBS	ADJECTIVES
cabrito	*cruzar*	*grande*
gnomo	*subir*	*jovencito/a*
campo	*empujar*	*mediano/a*
río	*caer*	*enorme*
hierba	*hacer ruido*	*malvado/a*
hermano	*esperar*	*dulce*
puente	*comer*	*verde*
pez	*coger*	
pescadores		

CHAPTER 7

Los tres cerditos
Vocabulario útil

Antes de empezar...

Before you begin, review the following vocabulary words
that you will find in the text:

los cerditos	little pigs	*la huerta*	orchard, large vegetable garden
la madre	mother	*la trampa*	trick
mandar	to command	*las manzanas*	apples
ganarse la vida	to earn a living	*la feria*	amusement park
el campesino	farmer	*furioso/a*	furious
vender	to sell	*escapar*	to escape
la paja	straw	*la escalera*	ladder
construir	to build	*el fuego*	fire
el lobo	wolf	*el agua caliente*	hot water
soplar	to blow	*vuela (volar)*	flies (to fly)
destruir	to destroy	*subir*	to go up
caer	to fall	*llevar*	to carry
comer	to eat	*el sitio seguro*	safe place
el leñador	woodcutter	*la casa*	house
los palitos	little sticks	*a las siete*	at seven o'clock
el albañil	bricklayer	*la chimenea*	chimney
los ladrillos	bricks	*felizmente*	happily
la papa	potato		

Los tres cerditos

Ocho personajes: el narrador, tres cerditos, el lobo, el campesino, el leñador y el albañil.

Materiales necesarios: *Three pig noses, wolf tail, wolf ears, straw, brick, wood, apples*

NARRADOR: Señoras y señores, bienvenidos a nuestro teatro de cuentos de hadas. Hoy voy a contarles el cuento "Los tres cerditos". Los tres cerditos viven en una casa simple con su madre. Un día la madre los manda a ganarse la vida. Los cerditos caminan y siguen el camino. El primer cerdito le dice a un campesino en el camino...

CERDITO #1: Buenos días, señor campesino. ¿Puede venderme paja para hacer una casa?

CAMPESINO: ¡Con mucho gusto!

NARRADOR: Y el cerdito construye su casa de paja. Luego viene el lobo.

LOBO: Cerdito, cerdito, déjame entrar.

CERDITO #1: ¡No! ¡Nunca! ¡Jamás!

LOBO: ¡Entonces voy a soplar, soplar y soplar, y a destruir tu casa! ¡Ja, ja, ja! ¡Qué delicioso es el cerdito!

NARRADOR: La casa se cae y el lobo come al cerdito. Entonces el segundo cerdito habla con el leñador.

CERDITO #2: Buenos días, señor leñador. ¿Puede venderme palitos para hacer una casa?

LOBO: ¡Con mucho gusto!

NARRADOR: Y el segundo cerdito construye su casa de palos. Luego viene el lobo.

LOBO: Cerdito, cerdito, déjame entrar.

CERDITO #2: ¡No! ¡Nunca! ¡Jamás!

LOBO: ¡Entonces voy a soplar, soplar y soplar, y a destruir tu casa! ¡Ja, ja, ja! ¡Qué delicioso es el cerdito!

NARRADOR: La casa se cae y el lobo come al cerdito. Entonces el tercer cerdito habla con el albañil.

CERDITO #3: Buenos días, señor albañil. ¿Puede venderme ladrillos para hacer una casa?

ALBAÑIL: ¡Con mucho gusto!

NARRADOR: Y el tercer cerdito construye su casa de ladrillos. Luego viene el lobo.

LOBO: Cerdito, cerdito, déjame entrar.

CERDITO #3: ¡No! ¡Nunca! ¡Jamás!

LOBO: ¡Entonces voy a soplar, soplar y soplar, y a destruir tu casa!

NARRADOR: Y el lobo sopla, sopla y sopla, pero la casa no cae.

LOBO: ¡Necesito pensar en una trampa para sacar al cerdito de su casa! Cerdito, yo sé dónde hay una huerta de papas deliciosas. ¿Quieres ir conmigo mañana a las siete para recogerlas?

CERDITO: ¡Con mucho gusto!

NARRADOR: Pero el cerdito va a la huerta a las seis, recoge todas las papas y vuelve a su casa.

LOBO: Cerdito, yo sé dónde hay una huerta de manzanos con manzanas deliciosas. ¿Quieres ir conmigo mañana a las seis?

CERDITO: ¡Con mucho gusto!

NARRADOR: Pero el cerdito va a la huerta a las cinco, recoge todas las manzanas y vuelve a su casa.

LOBO: Cerdito, yo sé dónde hay una feria divertida esta tarde. ¿Quieres ir conmigo esta tarde a las tres?

CERDITO: ¡Con mucho gusto!

NARRADOR: Pero el cerdito va a la feria a las dos y vuelve a casa. Ahora el lobo está furioso con el cerdito.

LOBO: Cerdito, no puedes escapar de mí. Voy a subir por la escalera, voy a bajar por la chimenea y entonces voy a comerte.

NARRADOR: En ese momento el cerdito está preparando la comida de su cena, pone el agua en el fuego y el lobo va a caer en el agua caliente.

LOBO: ¡Ay de mí! ¡Ay de mí! ¡Me caigo en el agua! ¡Ay de mí!

CERDITO: ¡Ja, ja, ja!, ahora me toca a mí comerlo, señor lobo.

NARRADOR: En ese momento, el SUPERLOBO llega por el aire. Vuela sobre la casa del cerdito y en el último momento, antes de que el lobo caiga al agua caliente, el SUPERLOBO lo toma, lo sube por la chimenea y lo lleva a un sitio seguro, muy, muy lejos de la casita del cerdito. Y hasta el día de hoy, el cerdito vive felizmente en su casa de ladrillos.

FIN

Los tres cerditos
Actividad de vocabulario

DIRECTIONS:
Below, you will find the text of the fairy tale you have just read. Fill in each blank space with the correct Spanish word. Search the mini drama and the vocabulary list for the appropriate answers.

NARRADOR: Señoras y señores, bienvenidos a nuestro teatro de cuentos de hadas. Hoy voy a contarles el cuento "Los tres 1. _____ *(little pigs)*". Los tres cerditos viven en una casa simple con su 2. _____ *(mother)*. Un día la madre los manda a ganarse la vida. Los cerditos caminan y siguen el camino. El primer cerdito le dice a un campesino en el camino...

CAMPESINO #1: Buenos días, señor 3. _____ *(farmer)*. ¿Puede venderme 4. _____ *(straw)* para hacer una 5. _____ *(house)*?

CAMPESINO: ¡Con mucho gusto!

NARRADOR: Y el cerdito construye su casa de paja. Luego viene el 6. _____ *(wolf)*.

LOBO: Cerdito, cerdito, déjame entrar.

CERDITO #1: ¡No! ¡Nunca! ¡Jamás!

LOBO: ¡Entonces voy a 7. _____ *(to blow)*, soplar y soplar, y a destruir tu casa! ¡Ja, ja, ja! ¡Qué delicioso es el cerdito!

NARRADOR: La casa se cae y el lobo come al cerdito. Entonces el segundo cerdito habla con el 8. _____ *(woodcutter)*.

CERDITO #2: Buenos días, señor leñador. ¿Puede venderme 9. _____ *(little sticks)* para hacer una casa?

LOBO: ¡Con mucho gusto!

NARRADOR: Y el segundo cerdito construye su casa de palos. Luego viene el lobo.

LOBO: 10. _____ (*Little pig*), cerdito, déjame entrar.

CERDITO #2: ¡No! ¡Nunca! ¡Jamás!

LOBO: ¡Entonces voy a 11. _____ (*to blow*), soplar y soplar, y a destruir tu casa! ¡Ja, ja, ja! ¡Qué delicioso es el cerdito!

NARRADOR: La casa se cae y el lobo come al cerdito. Entonces el tercer cerdito habla con el 12. _____ (*bricklayer*).

CERDITO #3: Buenos días, señor 13. _____ (*bricklayer*). ¿Puede venderme 14. _____ (*bricks*) para hacer una casa?

ALBAÑIL: ¡Con mucho gusto!

NARRADOR: Y el tercer cerdito construye su casa de ladrillos. Luego viene el 15. _____ (*wolf*).

LOBO: 16. _____ (*Little pig*), cerdito, déjame entrar.

CERDITO #3: ¡No! ¡Nunca! ¡Jamás!

LOBO: ¡Entonces voy a 17. _____ (*to blow*), soplar y soplar, y a destruir tu casa!

NARRADOR: Y el lobo sopla, sopla y sopla, pero la casa no cae.

LOBO: ¡Necesito pensar en una trampa para sacar al cerdito de su casa! Cerdito, yo sé dónde hay una huerta de 18. _____ (*potatoes*) deliciosas. ¿Quieres ir conmigo mañana 19. _____ (*at seven o'clock*) para recogerlas?

CERDITO: ¡Con mucho gusto!

NARRADOR: Pero el cerdito va a la huerta 20. _____ (*at six o'clock*), recoge todas las 21. _____ (*potatoes*) y vuelve a su casa.

LOBO: Cerdito, yo sé dónde hay una huerta de manzanos con 22. _____ (*apples*) deliciosas. ¿Quieres ir conmigo mañana 23. _____ (*at six o'clock*)?

CERDITO: ¡Con mucho gusto!

NARRADOR: Pero el cerdito va a la huerta a las cinco, recoge todas las 24. _____ (*apples*) y vuelve a su casa.

LOBO: 25. _____ (*Little pig*), yo sé dónde hay una 26. _____ (*amusement park*) divertida esta tarde. ¿Quieres ir conmigo esta tarde 27. _____ (*at three o'clock*)?

CERDITO: ¡Con mucho gusto!

NARRADOR: Pero el cerdito va a la feria 28. _____ (*at two o'clock*) y vuelve a casa. Ahora el 29. _____ (*wolf*) está 30. _____ (*furious*) con el cerdito.

LOBO: Cerdito, no puedes escapar de mí. Voy a subir por la 31. _____ (*ladder*), voy a bajar por la 32. _____ (*chimney*) y entonces voy a comerte.

NARRADOR: En ese momento el cerdito está preparando la comida de su cena, pone el 33. _____ (*water*) en el 34. _____ (*fire*) y el lobo va a caer en el agua caliente.

LOBO: ¡Ay de mí! ¡Ay de mí! ¡Me caigo en el agua! ¡Ay de mí!

CERDITO: ¡Ja, ja, ja!, ahora me toca a mí comerlo, señor lobo.

NARRADOR: En ese momento, el SUPERLOBO llega por el aire. Vuela sobre la casa del cerdito y en el último momento, antes de que el lobo caiga al agua caliente, el SUPERLOBO lo toma, lo sube por la chimenea y lo lleva a un sitio seguro, muy, muy lejos de la casita del cerdito. Y hasta el día de hoy, el cerdito vive 35. _____ (*happily*) en su casa de ladrillos.

FIN

Los tres cerditos
Juego de Pictionario

DIRECTIONS:

Using the vocabulary words from the story, make a "Pictionary"-style game to play with your class. Use 3x5 cards to write a vocabulary word on each card. Divide the class into two teams, and divide the cards into two equal piles.

A student from each team is given a card with the Spanish vocabulary word. The student must draw the picture on poster paper, blackboard, dry-erase board or smartboard for their teammates to decode. Each team gets a time limit of 45 seconds to guess the Spanish word being drawn. Students take turns drawing, and at the end of the game the team with the most points for identifying the pictures wins.

los cerditos	little pigs	*la huerta*	orchard, large vegetable garden
la madre	mother		
mandar	to command	*la trampa*	trick
ganarse la vida	to earn a living	*las manzanas*	apples
el campesino	farmer	*la feria*	amusement park
vender	to sell	*furioso/a*	furious
la paja	straw	*escapar*	to escape
construir	to build	*la escalera*	ladder
el lobo	wolf	*el fuego*	fire
soplar	to blow	*el agua caliente*	hot water
destruir	to destroy	*vuela (volar)*	flies (to fly)
caer	to fall	*subir*	to go up
comer	to eat	*llevar*	to carry
el leñador	woodcutter	*el sitio seguro*	safe place
los palitos	little sticks	*la casa*	house
el albañil	bricklayer	*a las siete*	at seven o'clock
los ladrillos	bricks	*la chimenea*	chimney
la papa	potato	*felizmente*	happily

CHAPTER 8

Blanca Nieves y los siete enanitos
Vocabulario útil

Antes de empezar...
Before you begin, review the following vocabulary words that you will find in the text:

la princesita	little princess	*el enanito*	little dwarf
la reina	queen	*el enano*	dwarf
estar feliz	to be happy	*limpiar*	to clean
la hija	daughter	*lavar*	to wash
la piel	skin	*barrer*	to sweep
la nieve	snow	*hacer la cama*	to make the bed
el pelo negro	black hair	*dormir*	to sleep
nacer	to be born	*dormirse*	to fall asleep
morirse	to die	*vivo/a*	alive
casarse	to marry	*envenenado/a*	poisoned
peinarse el pelo	to comb one's hair	*la capa*	cloak
el espejo	mirror	*la manzana*	apple
hermoso/a	beautiful	*responder*	to answer
repetir	to repeat	*guapo/a*	handsome
la pregunta	question	*el príncipe*	prince
el reino	kingdom	*muerto/a*	dead
el bosque	forest	*besar*	to kiss
el leñador	woodcutter	*despertarse*	to wake up
recoger flores	to pick flowers	*feo/a*	ugly
jugar	to play		

Blanca Nieves y los siete enanitos

Catorce personajes: el narrador, las Reinas (#1 & #2), el espejo, Blanca Nieves, el leñador, el Príncipe, los siete enanitos.

Materiales necesarios: *mirror, black cape, apple, dwarf jackets, queen's tiara*

NARRADOR: Señoras y señores, bienvenidos a nuestro teatro de cuentos de hadas. Hoy voy a contarles el cuento "Blanca Nieves y los siete enanitos". La madre de Blanca Nieves es la Reina. Un día la Reina dice...

REINA #1: No estoy contenta. Quiero una hija con labios rojos, piel blanca como la nieve y pelo negro.

NARRADOR: Y efectivamente, nace una hija y se llama Blanca Nieves. Es una princesita muy hermosa. La Reina no tiene buena salud y se muere. El Rey, triste, se casa de nuevo con una reina vana, cruel y antipática. Todos los días la Reina se peina frente al espejo y dice...

REINA #2: Espejo, espejo de la pared, ¿quién es la más hermosa del reino?

ESPEJO: Usted, Reina, es la más hermosa del reino.

NARRADOR: Todos los días la Reina repite la pregunta, hasta que un día...

REINA#2: Espejo, espejo de la pared, ¿quién es la más hermosa del reino?

ESPEJO: Usted es muy hermosa, Reina, pero Blanca Nieves es la más hermosa del reino, señora.

REINA #2: ¡No es verdad! Yo soy la más hermosa del reino. ¡Blanca Nieves tiene que marcharse ahora mismo! ¡Leñador, llévala al bosque y no vuelvas con ella!

LEÑADOR: Venga, señorita Blanca Nieves. Vamos al bosque.

BLANCA NIEVES: Sí, con mucho gusto, puedo recoger flores y jugar con los animales.

NARRADOR: En el bosque, el leñador encuentra una casita para Blanca Nieves y le dice...

LEÑADOR: Adiós, Blanca Nieves. Me voy, pero tú puedes vivir en esta casa sana y salva. Aquí viven siete enanitos muy simpáticos y ellos te van a cuidar.

BLANCA NIEVES: Una casita nueva. ¡Qué bonita! Voy a limpiar la casa, lavar los platos, barrer el piso y hacer las camas. (Una hora más tarde). Estoy cansada. Voy a dormirme en la cama.

NARRADOR: En ese momento, los siete enanitos regresan de su trabajo en el bosque. Cantan una canción.

SIETE ENANITOS: Jay Jo, Jay Jo, ¡el fin del trabajo! Un momento, ¿qué pasa? La casa está limpia. Y, ¿quién está dormida en la cama? Una chica bonita.

BLANCA NIEVES: Hola. Me llamo Blanca Nieves. ¿Puedo vivir en la casita con ustedes? ¿Cómo se llaman?

SIETE ENANITOS: Nos llamamos Bobito, Estornudito, Felicito, Gruñito, Doctorcito, Tímido y Dormido. (Todos lo dicen). Para servirte. Bienvenida a nuestra casita.

BLANCA NIEVES: Estoy muy contenta. Vamos a vivir felizmente todos juntos.

NARRADOR: Y todos los días Blanca Nieves prepara la comida, lava la ropa y limpia la casa, y los siete enanitos trabajan en el bosque. Pero, un día, la Reina se para en frente del espejo y dice...

REINA #2: Espejo, espejo de la pared, ¿quién es la más hermosa del reino?

ESPEJO: Usted, Reina, es muy hermosa, pero Blanca Nieves es más hermosa y, ¡está viva en el bosque!

REINA #2: ¡Blanca Nieves viva! ¡Imposible! ¡Voy a visitarla en el bosque y a llevarle unas manzanas envenenadas! Ella no puede vivir más.

NARRADOR: Y la Reina se pone una túnica negra, recoge unas manzanas rojas, y a las lleva en una cesta a la casa de Blanca Nieves en el bosque.

REINA #2: Pum, pum, pum. (Toca a la puerta). Buenos días, señorita. ¿Quiere comer una manzana deliciosa?

BLANCA NIEVES: Buenos días. Sí, con mucho gusto. ¡Qué manzanas más bonitas!

NARRADOR: Y en ese momento, Blanca Nieves come la manzana envenenada y se cae al suelo dormida.

REINA #2: ¡Ja, ja, ja, ja! ¡Ahora yo soy la más hermosa del reino otra vez!

NARRADOR: Una hora más tarde, los siete enanitos regresan a casa.

SIETE ENANITOS: Jay Jo, Jay Jo, ¡el fin del trabajo! Un momento, ¿qué pasa con Blanca Nieves? ¿Está enferma? No responde. Vamos a ponerla en la cama y a guardarla para siempre.

NARRADOR: Y efectivamente, los siete enanitos guardan a Blanca Nieves, hasta un día en que los visita un príncipe joven y guapo.

PRÍNCIPE: ¿Vive Blanca Nieves aquí en esta casita?

SIETE ENANITOS: Sí, señor Príncipe, pero no responde. Está muerta.

PRÍNCIPE: ¿Muerta? ¡Imposible! Déjenme verla.

SIETE ENANITOS: Sí, señor Príncipe. Pase usted.

NARRADOR: El Príncipe la besa.

PRÍNCIPE: Blanca Nieves, ¡despiértate, mi vida!

BLANCA NIEVES: ¡Oh! ¿Qué pasa? ¿Quién es usted?

PRÍNCIPE: Soy el Príncipe y voy a casarme contigo, Blanca Nieves. Te quiero mucho. Eres la mujer más hermosa del reino.

BLANCA NIEVES: ¡Oh, no! Tú eres feo. No voy a casarme contigo. Vivo con los siete enanitos.

PRÍNCIPE: ¿Prefieres a los enanitos y no a mí?

BLANCA NIEVES: ¡Sí!

SIETE ENANITOS: Muy bien. ¡Fantástico!

NARRADOR: Y Blanca Nieves y los siete enanitos viven felizmente. Y así termina el cuento de Blanca Nieves y los siete enanitos.

FIN

Blanca Nieves y los siete enanitos
Actividad de buscapalabras

DIRECTIONS:

Translate the following words from the fairy tale into Spanish. Then, find the Spanish words in the word search.

dwarf _____

to wash _____

to make the bed _____

poisoned (f.) _____

apple _____

handsome (m.) _____

to kiss _____

to marry _____

to clean _____

to sweep _____

to sleep _____

cloak _____

to answer _____

prince _____

to wake up _____

```
e c o b a r r e r d l
v r a s e b o s z o a
e l i m p i a r e n v
e n v e n e n a d a a
g u a p o v h t n n r
m a n z a n a r a e a
a m a c a l r e c a h
c a r e d n o p s e r
a s c a s a r s e n i
p r í n c i p e a a e
a c r i m r o d e b a
```

Blanca Nieves y los siete enanitos
Actividad de crucigrama

DIRECTIONS:
Translate the following clues into Spanish and find the Spanish words in the crossword puzzle.

Across:

1. to play
8. little princess
10. forest
11. queen
12. daughter
13. to marry
14. kingdom
15. to die

Down:

2. to repeat
3. snow
4. mirror
6. question
7. to be born
9. skin
12. beautiful (f.)

CHAPTER 9

El flautista de Hamelín
Vocabulario útil

Antes de empezar...

Before you begin, review the following vocabulary words that you will find in the text:

el flautista	piper	*la calle*	street
el pueblo	town	*el río*	river
las ratas	rats	*tocar a la puerta*	to knock on the door
el alcalde	mayor		
resolver	to solve	*cobrar*	to collect
comer	to eat	*devolver*	to return
las pulgas	fleas	*deshonesto/a*	dishonest
la enfermedad	illness	*las melodías*	melodies
la solución	solution	*los niños*	children
aguantar	to tolerate	*seguir*	to follow
la recompensa	reward	*desaparecer*	to disappear
anunciar	to announce	*llevar*	to bring
librar	to free	*los conciertos*	concerts
mágico/a	magic	*el resto de sus vidas*	rest of their lives
tocar	to play (music)		

El flautista de Hamelín

Más de ocho personajes: el narrador, el flautista, el alcalde, los niños, la mujer, el hombre y los padres del pueblo.

Materiales necesarios: *penny whistle, flute, cape, fake rat, keys to the city*

NARRADOR: Señoras y señores, bienvenidos a nuestro teatro de cuentos de hadas. Hoy voy a contarles el cuento "El flautista de Hamelín". Es la historia de un pueblo pequeño con un problema de ratas. Hay ratas por todas partes del pueblo. Un día los ciudadanos van a hablar con el alcalde para tratar de resolver el problema.

MUJER: Señor alcalde, necesitamos su ayuda, por favor. Las ratas están en todas partes, especialmente en las casas. Las ratas comen la comida y son muy viles y feas.

HOMBRE: Sí, señor alcalde, usted necesita resolver el problema. Las ratas tienen pulgas y les traen enfermedades a nuestras familias.

PADRES: Queremos una solución ahora mismo. ¡Las ratas son horribles! ¡No aguantamos más!

ALCALDE: Muy bien, muy bien. Sé que hay un problema con las ratas. Le voy a ofrecer una recompensa a la persona que tenga una buena solución.

NARRADOR: Y efectivamente, el alcalde anuncia una recompensa de mil euros para la persona que pueda librar al pueblo de las ratas. Al día siguiente, un hombre visita la oficina del alcalde.

FLAUTISTA: Buenos días, señor alcalde. Soy un flautista mágico. Mi flauta encantada puede librarlos del problema de las ratas.

ALCALDE: ¡Ja, ja, ja! Es ridículo. ¿Un flautista con una flauta encantada va a sacar las ratas del pueblo?

FLAUTISTA: Sí, señor. Si yo quito las ratas de su pueblo, ¿van a pagarme la recompensa de mil euros?

ALCALDE: Sí, sí, lo que usted quiera.

FLAUTISTA: Muy bien. En un día, no habrá ninguna rata en todo el pueblo.

NARRADOR: Y efectivamente, al tocar el flautista la flauta mágica, las ratas lo siguen por las calles hasta el río, donde mueren para siempre.

FLAUTISTA: ¡Fantástico! Todas las ratas están muertas. Ahora me toca a mí la recompensa de mil euros.

NARRADOR: El flautista toca a la puerta de la oficina del alcalde.

Pum, pum, pum.

FLAUTISTA: Buenos días, señor alcalde. No quedan ratas en su pueblo. Vengo a cobrar los mil euros de recompensa.

ALCALDE: ¡No seas ridículo! No voy a pagarte los mil euros por tocar una flauta mágica. ¡Sal del pueblo inmediatamente y no regreses!

FLAUTISTA: Usted es deshonesto, señor alcalde. Usted va a pagarme de un modo u otro.

NARRADOR: El flautista sale de la oficina y empieza a tocar su flauta mágica. La música más bonita sale de su flauta y las melodías hermosas se escuchan por las calles del pueblo. Entonces los niños del pueblo dicen...

NIÑOS: ¡Qué música más bonita! ¡Vamos a seguir al flautista!

FLAUTISTA: Sí, niños, vengan conmigo. Vamos a dar una vuelta por las montañas. ¿Les gusta la música? Van a escuchar más melodías bonitas en las montañas.

NARRADOR: Y los niños lo siguen a las montañas y desaparecen del pueblo. Esa noche los padres del pueblo van a la oficina del alcalde y dicen...

PADRES: Señor alcalde, ¿dónde están nuestros hijos? Están desaparecidos. Y, ¿dónde está el flautista? Está desaparecido también.

NARRADOR: En ese momento, el flautista entra en la oficina.

FLAUTISTA: Sus niños están en las montañas. Cuando ustedes me paguen la recompensa que me deben, yo les voy a devolver a sus niños.

ALCALDE: ¡La recompensa! ¿Por unas melodías bonitas?

FLAUTISTA: No, la recompensa es por la vida de sus niños.

MUJER: Señor alcalde, queremos a nuestros niños. ¡Páguele al flautista los mil euros!

ALCALDE: ¡No! ¡Nunca! No tenemos el dinero.

FLAUTISTA: Entonces tengo que llevar a los niños a todos los conciertos de rock por el resto de sus vidas.

NARRADOR: Y hasta el día de hoy, el flautista y los niños van a todos los conciertos de rock de los grupos musicales más famosos como Lady Gaga, U2, The Rolling Stones, Train, Usher, Eminem, Five for Fighting y Madonna.

FIN

El flautista de Hamelín
'Mad Libs' *en español*

Directions: *Rewrite the story, using a Mad Lib format in Spanish. Below, you will find underlined words in the text.* Work with your classmates to *revise this fairy tale into an original and amusing story by substituting new Spanish words in place of the underlined words. Consult a Spanish-English dictionary for vocabulary that you do not know.*

NARRADOR: Señoras y señores, bienvenidos a nuestro teatro de cuentos de hadas. Hoy voy a contarles el cuento "El flautista de Hamelín". Es la historia de un pueblo pequeño con un problema de ratas. Hay ratas por todas partes del pueblo. Un día los ciudadanos van a hablar con el alcalde para tratar de resolver el problema.

MUJER: Señor alcalde, necesitamos su ayuda, por favor. Las ratas están en todas partes, especialmente en las casas. Las ratas comen la comida y son muy viles y feas.

HOMBRE: Sí, señor alcalde, usted necesita resolver el problema. Las ratas tienen pulgas y les traen enfermedades a nuestras familias.

PADRES: Queremos una solución ahora mismo. ¡Las ratas son horribles! ¡No aguantamos más!

ALCALDE: Muy bien, muy bien. Sé que hay un problema con las ratas. Le voy a ofrecer una recompensa a la persona que tenga una buena solución.

NARRADOR: Y efectivamente, el alcalde anuncia una recompensa de mil euros para la persona que pueda librar al pueblo de las ratas. Al día siguiente, un hombre visita la oficina del alcalde.

FLAUTISTA: Buenos días, señor alcalde. Soy un flautista mágico. Mi flauta encantada puede librarlos del problema de las ratas.

ALCALDE: ¡Ja, ja, ja! Es ridículo. ¿Un flautista con una flauta encantada va a sacar las ratas del pueblo?

FLAUTISTA: Sí, señor. Si yo quito las ratas de su pueblo, ¿van a pagarme la recompensa de mil euros?

ALCALDE: Sí, sí, lo que usted quiera.

FLAUTISTA: Muy bien. En un día, no habrá ninguna rata en todo el pueblo.

NARRADOR: Y efectivamente, al tocar el flautista la flauta mágica, las ratas lo siguen por las calles hasta el río, donde mueren para siempre.

FLAUTISTA: ¡Fantástico! Todas las ratas están muertas. Ahora me toca a mí la recompensa de mil euros.

NARRADOR: El flautista toca a la puerta de la oficina del alcalde.

Pum, pum, pum.

FLAUTISTA: Buenos días, señor alcalde. No quedan ratas en su pueblo. Vengo a cobrar los mil euros de recompensa.

ALCALDE: ¡No seas ridículo! No voy a pagarte los mil euros por tocar una flauta mágica. ¡Sal del pueblo inmediatamente y no regreses!

FLAUTISTA: Usted es deshonesto, señor alcalde. Usted va a pagarme de un modo u otro.

NARRADOR: El flautista sale de la oficina y empieza a tocar su flauta mágica. La música más bonita sale de su flauta y las melodías hermosas se escuchan por las calles del pueblo. Entonces los niños del pueblo dicen...

NIÑOS: ¡Qué música más bonita! ¡Vamos a seguir al flautista!

FLAUTISTA: Sí, niños, vengan conmigo. Vamos a dar una vuelta por las montañas. ¿Les gusta la música? Van a escuchar más melodías bonitas en las montañas.

NARRADOR: Y los niños lo siguen a las montañas y desaparecen del pueblo. Esa noche los padres del pueblo van a la oficina del alcalde y dicen...

PADRES: Señor alcalde, ¿dónde están nuestros hijos? Están desaparecidos. Y, ¿dónde está el flautista? Está desaparecido también.

NARRADOR: En ese momento, el flautista entra en la oficina.

FLAUTISTA: Sus niños están en las montañas. Cuando ustedes me paguen la recompensa que me deben, yo les voy a devolver a sus niños.

ALCALDE: ¡La recompensa! ¿Por unas melodías bonitas?

FLAUTISTA: No, la recompensa es por la vida de sus niños.

MUJER: Señor alcalde, queremos a nuestros niños. ¡Páguele al flautista los mil euros!

ALCALDE: ¡No! ¡Nunca! No tenemos el dinero.

FLAUTISTA: Entonces tengo que llevar a los niños a todos los conciertos de rock por el resto de sus vidas.

NARRADOR: Y hasta el día de hoy, el flautista y los niños van a todos los conciertos de rock de los grupos musicales más famosos como Lady Gaga, U2, The Rolling Stones, Train, Usher, Eminem, Five for Fighting y Madonna.

FIN

El flautista de Hamelín
Juego de Charadas

DIRECTIONS:
Use the vocabulary list below to play a game of "Charades" with your class.
Use 3x5 cards to write a vocabulary word on each card. Divide the class
into two teams, and divide the cards into two equal piles.

A student from each team is given a card with the Spanish vocabulary word.
The student must act out the word for their teammates to decode. Each
team gets a time limit of 30 seconds to guess the Spanish word being acted.
Students take turns acting, and at the end of the game the team with the
most points for guessing the word wins.

VOCABULARY:

flautista	piper	*tocar*	to play music
enfermedad	illness	*tocar a la puerta*	to knock on the door
mágico/a	magic		
ratas	rats	*cobrar*	to collect
comer	to eat	*volver*	to return
pulgas	fleas	*desaparecer*	to disappear
recompensa	reward	*seguir*	to follow
librar	to free	*conciertos*	concerts

CHAPTER 10

La Bella Durmiente
Vocabulario útil

Antes de empezar...

Before you begin, review the following vocabulary words that you will find in the text:

la princesita	little princess	*el príncipe*	prince
la reina	queen	*el huso*	spinning wheel
el rey	king	*destruir*	to destroy
la familia real	royal family	*el castillo*	castle
el bautismo	baptism	*pincharse el dedo*	to prick one's finger
las hadas	fairies	*dormirse*	to fall asleep
recibir	to receive	*las zarzas*	brambles
la invitación	invitation	*casarse*	to marry
la fiesta	party	*despertarse*	to wake up
los regalos	gifts	*la estrella de cine*	movie star
la hermosura	beauty	*montar su caballo*	mount his horse
la gracia	grace	*firmar un contrato*	to sign a contract
la muerte	death	*la película*	film
hilar	to spin (thread)	*el resto de su vida*	rest of her life
el lino	linen		

La Bella Durmiente

Trece personajes: el narrador, la Reina, el Rey, cinco hadas, los invitados del pueblo, la Bella Durmiente, la viejecita y el Príncipe.

Materiales necesarios: *needle, thread, material to sew, queen's tiara, king's crown, cape, baby doll*

NARRADOR: Señoras y señores, bienvenidos a nuestro teatro de cuentos de hadas. Hoy voy a contarles el cuento "La Bella Durmiente". Un día la Reina dice...

REINA: Quiero un bebé para la familia real. Quiero ser madre.

NARRADOR: Y efectivamente, una niña muy bonita nace después de nueve meses. Entonces la Reina dice...

REINA: Tenemos que invitar a todos nuestros amigos al bautismo de nuestra princesita.

REY: Sí, mi amor, y tenemos que invitar a todas las hadas también.

NARRADOR: Pero el hada mayor no recibió una invitación. Sin embargo, el día del bautismo, todos los amigos y todas las hadas vienen a la fiesta. Traen regalos muy caros para la princesita.

HADA #1: Yo regalo la inteligencia a la princesita.

HADA #2: Yo regalo la hermosura a la princesita.

HADA #3: Yo regalo la gracia a la princesita.

HADA #4: Yo regalo la muerte a la princesita. Cuando tenga quince años, va a morir hilando lino. ¡Ja, ja, ja!

TODOS LOS INVITADOS: ¡Qué horrible! ¡Qué horror! ¡No es posible!

NARRADOR: Pero el hada más joven dice...

HADA #5: Yo tengo mi regalo. La princesita no va a morir. Va a dormir por cien años y, un día, un príncipe guapo va a despertarla con un beso.

REY: Desde este día en adelante, todas las máquinas de hilar van a ser destruidas. Y la persona que hile va a morir por orden del Rey también.

NARRADOR: Pasan muchos años, y la Princesita se hace más y más bella cada año. Ella vive en el castillo con sus padres, pero no puede salir del castillo. Un día la Bella Durmiente explora los cuartos más remotos del castillo. Ella entra en un cuarto y dice...

BELLA DURMIENTE: Buenos días, viejecita. ¿Qué haces?

VIEJECITA: Yo estoy hilando. ¿Quieres aprender a hilar?

BELLA DURMIENTE: Sí, ¿cómo no?

NARRADOR: En ese momento, la Bella Durmiente se pincha el dedo en el huso, se cae y se duerme en el suelo.

VIEJECITA: ¡Ayuda! ¡Ayuda!, por favor. La Princesa se duerme.

NARRADOR: En ese momento, todas las personas del pueblo se duermen, también los perros, los gatos y los pájaros. El pueblo se queda dormido por cien años. Después de cien años, un príncipe guapo está pasando por el bosque y dice...

PRÍNCIPE: Aquel castillo en la distancia está en malas condiciones y tiene zarzas. Voy a entrar al castillo y a ver lo que hay.

NARRADOR: El Príncipe va al castillo, entra y exclama...

PRÍNCIPE: ¡Todos están dormidos! La Princesita es la más bonita de todos. Parece muerta. Voy a besarla.

NARRADOR: En ese momento, la Bella Durmiente se despierta.

BELLA DURMIENTE: ¿Qué pasa? ¿Dónde estoy? ¿Quién eres tú?

PRÍNCIPE: Soy el Príncipe. Eres la princesita más bonita que he visto. Te quiero mucho. Vamos a casarnos. Podemos vivir en un castillo grande.

BELLA DURMIENTE: No, señor Príncipe. No voy a casarme nunca. No quiero vivir en un castillo grande y frío. Voy a ser una estrella de cine de Hollywood. Quiero ser famosa y vivir en California.

NARRADOR: El Príncipe monta su caballo y sale para su reino. La Bella Durmiente firma un contrato con la Warner Brothers Studios para hacer una película extraordinaria de la historia de su vida. Y así vive felizmente en Hollywood por el resto de su vida.

FIN

La Bella Durmiente
'Mad Libs' *en español*

DIRECTIONS:
Rewrite the story, using a Mad Lib format in Spanish. Below, you will find underlined words in the text. Work with your classmates to revise this fairy tale into an original and amusing story by substituting new Spanish words in place of the underlined words. Consult a Spanish-English dictionary for vocabulary that you do not know.

NARRADOR: Señoras y señores, bienvenidos a nuestro teatro de cuentos de hadas. Hoy voy a contarles el cuento "La Bella Durmiente", una princesa. Un día la Reina dice...

REINA: Quiero un bebé para la familia real. Quiero ser madre.

NARRADOR: Y efectivamente, una niña muy bonita nace después de nueve meses. Entonces la Reina dice...

REINA: Tenemos que invitar a todos nuestros amigos al bautismo de nuestra princesita.

REY: Sí, mi amor, y tenemos que invitar a todas las hadas también.

NARRADOR: Pero el hada mayor no recibió una invitación. Sin embargo, el día del bautismo, todos los amigos y todas las hadas vienen a la fiesta. Traen regalos muy caros para la princesita.

HADA #1: Yo regalo la inteligencia a la princesita.

HADA #2: Yo regalo la hermosura a la princesita.

HADA #3: Yo regalo la gracia a la princesita.

HADA #4: Yo regalo la <u>muerte</u> a la <u>princesita</u>. Cuando tenga <u>quince</u> años, va a morir <u>hilando lino</u>. ¡Ja, ja, ja!

TODOS LOS INVITADOS: ¡Qué horrible! ¡Qué horror! ¡No es posible!

NARRADOR: Pero el <u>hada</u> más joven dice...

HADA #5: Yo tengo mi <u>regalo</u>. La <u>princesita</u> no va a morir. Va a dormir por cien años y, un día, un <u>príncipe</u> guapo va a despertarla con un <u>beso</u>.

REY: Desde este día en adelante, todas las máquinas de hilar van a ser destruidas. Y la persona que hile va a morir por orden del Rey también.

NARRADOR: Pasan muchos años, y la <u>Princesita</u> se hace más y más bella cada año. Ella vive en el <u>castillo</u> con sus padres, pero no puede salir del <u>castillo</u>. Un día la <u>Bella</u> Durmiente explora los cuartos más remotos del castillo. Ella entra en un cuarto y dice...

BELLA DURMIENTE: Buenos días, <u>viejecita</u>. ¿Qué haces?

VIEJECITA: Yo estoy <u>hilando</u>. ¿Quieres aprender a <u>hilar</u>?

BELLA DURMIENTE: Sí, ¿cómo no?

NARRADOR: En ese momento, la <u>Bella</u> Durmiente <u>se pincha el dedo</u> en el huso, se cae y se duerme en el suelo.

VIEJECITA: ¡Ayuda! ¡Ayuda!, por favor. La <u>Princesa</u> se duerme.

NARRADOR: En ese momento, todas las personas del pueblo se duermen, también los perros, los gatos y los pájaros. El pueblo se queda dormido por cien años. Después de <u>cien</u> años, un <u>príncipe</u> <u>guapo</u> está pasando por el bosque y dice...

PRÍNCIPE: Aquel <u>castillo</u> en la distancia está en malas condiciones y tiene zarzas. Voy a entrar al <u>castillo</u> y a ver lo que hay.

NARRADOR: El <u>Príncipe</u> va al castillo, entra y exclama...

PRÍNCIPE: ¡Todos están dormidos! La Princesita es la más bonita de todos. Parece muerta. Voy a besarla.

NARRADOR: En ese momento, la Bella Durmiente se despierta.

BELLA DURMIENTE: ¿Qué pasa? ¿Dónde estoy? ¿Quién eres tú?

PRÍNCIPE: Soy el Príncipe. Eres la princesita más bonita que he visto. Te quiero mucho. Vamos a casarnos. Podemos vivir en un castillo grande.

BELLA DURMIENTE: No, señor Príncipe. No voy a casarme nunca. No quiero vivir en un castillo grande y frío. Voy a ser una estrella de cine de Hollywood. Quiero ser famosa y vivir en California.

NARRADOR: El Príncipe monta su caballo y sale para su reino. La Bella Durmiente firma un contrato con la Warner Brothers Studios para hacer una película extraordinaria de la historia de su vida. Y así vive felizmente en Hollywood por el resto de su vida.

FIN

La Bella Durmiente
Actividad de palabras

DIRECTIONS:
Match the Spanish word with the best English translation. Write the LETTER of the correct English word in the blank space.

Español	**English**
_____ 1. *zarzas*	A. prince
_____ 2. *destruir*	B. to marry
_____ 3. *princesita*	C. to prick one's finger
_____ 4. *despertarse*	D. to wake up
_____ 5. *hermosura*	E. beauty
_____ 6. *pincharse el dedo*	F. to spin (thread)
_____ 7. *hilar*	G. little princess
_____ 8. *príncipe*	H. brambles
_____ 9. *casarse*	I. to destroy
_____ 10. *hadas*	J. fairies

ANSWER KEY

1. *Ricitos de Oro y los tres osos*: Goldilocks and the Three Bears

Actividad de crucigrama - **Pg. 12**

Across:
1. bear (m.) (*oso*)
3. furniture (*muebles*)
4. hot (*caliente*)
6. medium (f.) (*mediana*)
9. to taste (*probar*)
10. friends (m.) (*amigos*)
12. small (m.) (*pequeño*)
14. cold (m.) (*frío*)

Down:
2. chair (*silla*)
5. milk (*leche*)
7. big (*grande*)
8. broken (m.) (*roto*)
11. hard (m.) (*duro*)
13. to buy (*comprar*)
15. to sell (*vender*)

Juego de Pictionario - **Pg. 13** • Classroom activity

2. *Caperucita Roja:* Little Red Riding Hood

Actividad de buscapalabras - Pg. 18

forest	*bosque*	ears	*orejas*
red cap	*capa roja*	eyes	*ojos*
grandma	*abuelita*	teeth	*dientes*
basket	*cesta*	milk	*leche*
cookies	*galletas*	to jump	*saltar*
bread	*pan*	to grab	*agarrar*
wolf	*lobo*	ax	*hacha*
to understand	*comprender*	frog	*rana*
to sing	*cantar*	frightened (m.)	*asustado*
to run	*correr*	to attack	*atacar*
		dangerous (m.)	*peligroso*

Actividad de palabras - Pg. 19
Answers: 1. D, 2. E, 3. I, 4. B, 5. J, 6. F, 7. G, 8. A, 9. C, 10. H

3. Cenicienta: Cinderella

Actividad de crucigrama - Pg. 25

Juego de Charadas - Pg. 26
Classroom Activity

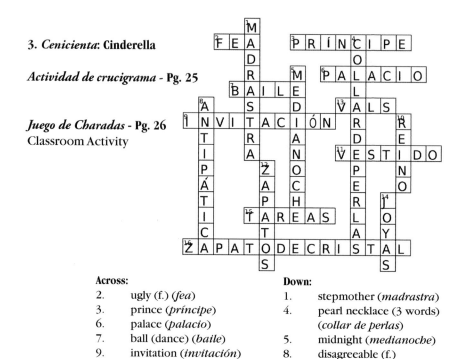

Across:
2. ugly (f.) (*fea*)
3. prince (*príncipe*)
6. palace (*palacio*)
7. ball (dance) (*baile*)
9. invitation (*invitación*)
11. dress (*vestido*)
13. waltz (*vals*)
15. chores (*tareas*)
16. glass shoe (3 words) (*zapato de cristal*)

Down:
1. stepmother (*madrastra*)
4. pearl necklace (3 words) (*collar de perlas*)
5. midnight (*medianoche*)
8. disagreeable (f.) (*antipática*)
10. kingdom (*reino*)
12. shoes (*zapatos*)
14. jewels (*joyas*)

4. La gallinita roja: The Little Red Hen

Actividad de vocabulario - Pg. 31

1. *casa grande* — large house
2. *cerdo* — pig
3. *gato* — cat
4. *pato* — duck
5. *gallinita* — little hen
6. *plantar* — to plant
7. *ayudar* — to help
8. *cortar* — to cut

9. *ayudar* — to help
10. *harina* — flour
11. *ayudar* — to help
12. *pan* — bread
13. *horno* — oven
14. *comer* — to eat
15. *restaurante* — restaurant

Actividad para hacer oraciones - Pg. 34
Classroom Activity

5. *La tortilla corredora*: **The Run Away Tortilla**
Actividad de sinónimos - **Pg. 39**

1. *viejecita*
2. *viejecito*
3. *casa*
4. *Creo*
5. *quita*
6. *rápidamente*
7. *viejecita*
8. *viejecito*
9. *jardín*
10. *campesinos*
11. *vaca*
12. *viejecita*
13. *viejecito*
14. *río*
15. *rabo*
16. *cabeza*
17. *cárcel*

Juego de Pictionario - **Pg. 42** • Classroom activity

6. *Los tres cabritos Gruff*: **Three Billygoats Gruff**
'Mad Libs' en español - **Pg. 46** • Classroom Activity

Actividad para hacer oraciones - **Pg. 48** • Classroom Activity

7. *Los tres cerditos*: **The Three Little Pigs**
Actividad de vocabulario - **Pg. 53**

1. *cerditos*
2. *madre*
3. *campesino*
4. *paja*
5. *casa*
6. *lobo*
7. *soplar*
8. *leñador*
9. *palitos*
10. *Cerdito*
11. *soplar*
12. *albañil*
13. *albañil*
14. *ladrillos*
15. *lobo*
16. *Cerdito*
17. *soplar*
18. *papas*
19. *a las siete*
20. *a las seis*
21. *papas*
22. *manzanas*
23. *a las seis*
24. *manzanas*
25. *Cerdito*
26. *feria*
27. *a las tres*
28. *a las dos*
29. lobo
30. *furioso*
31. *escalera*
32. *chimenea*
33. *agua*
34. *fuego*
35. *felizmente*

Juego de Pictionario - **Pg. 56** • Classroom Activity

8. *Blanca Nieves y los siete enanitos:* Snow White and the Seven Dwarfs
Actividad de buscapalabras - Pg. 62

dwarf	*enano*
to clean	*limpiar*
to wash	*lavar*
to sweep	*barrer*
to make the bed	*hacer la cama*
to sleep	*dormir*
poisoned(f.)	*envenenada*
cloak	*capa*
apple	*manzana*
to answer	*responder*
handsome (m.)	*guapo*
prince	*príncipe*
to kiss	*besar*
to wake up	*despertarse*
to marry	*casarse*

Actividad de crucigrama - Pg. 63

Across:
1. to play (*jugar*)

8. little princess (*princesita*)
10. forest (*bosque*)
11. queen (*reina*)
12. daughter (*hija*)
13. to marry (*casarse*)
14. kingdom (*reino*)
15. to die (*morirse*)

Down:
2. to repeat (*repetir*)
3. snow (*nieve*)
4. mirror (*espejo*)
6. question (*pregunta*)
7. to be born (*nacer*)
9. skin (*piel*)
12. beautiful (f.) (*hermosa*)

9. *El flautista de Hamelín*: **The Pied Piper of Hamelin**
'Mad Libs' *en español* - **Pg. 68** • Classroom Activity

Juego de Charadas - **Pg. 71** • Classroom Activity

10. *La Bella Durmiente*: **Sleeping Beauty**
'Mad Libs' *en español* - **Pg. 76** • Classroom Activity

Actividad de palabras - **Pg. 79**
Answers: 1. H, 2. I, 3. G, 4. D, 5. E, 6. C, 7. F, 8. A, 9. B, 10. J